va chez la psy

Avec la collaboration
de Renaud de Saint Mars

Série dirigée par Dominique de Saint Mars

Imprimé en CEE
ISBN : 2-88445-574-4

Ainsi va la vie

Lili va chez la psy

Dominique de Saint Mars

Serge Bloch

CALLIGRAM
CHRISTIAN GALLIMARD

Quel voyage !
On est épuisés !
C'est bon de vous retrouver !
Vous nous avez tellement
manqués !
C'est normal, vous
êtes partis tellement
longtemps... !
Vous avez de la
chance d'être partis...
Nous, on a perdu
le chien !

... Depuis hier soir seulement ?
Ce n'est pas la première fois
que Pluche s'en va.
Il va revenir !

En tout cas, ils ont été adorables.
Et Lili a été une perfection !
C'est ça,
et moi la cata,
comme d'habitude !
Mais non,
sûrement pas !
Et j'ai l'impression que
tu as grandi !
Et moi,
j'ai rapetissé ?

Oh là là, tout ce courrier !
Et le répondeur plein de messages !
Maman, tu ne veux pas voir mon cahier ?
Et Pluche, qu'est-ce qu'on fait pour Pluche ?

Il a profité de votre absence pour prendre la poudre d'escampette !
... ou pour vous punir d'être partis !

Allô, la gendarmerie, vous n'avez pas trouvé un chien beige-marron... Il est tatoué, il s'appelle Pluche... oui, je vous laisse notre numéro...

Je la mets là votre annonce ! On va le retrouver...
Il est peut-être déjà mort !
Mais non ! S'il s'était fait écraser, on serait déjà prévenus !

Tu te souviens, il adorait ce coin-là !

Et ce réverbère... son préféré...
Bouh... Il nous a pas prévenus, il nous a abandonnés... On l'a peut-être enlevé... enfermé... il est perdu... perdu !

Les enfants ne parlent que de Pluche. Lili, surtout, a l'air bouleversé ! Il faut le retrouver !

LE LENDEMAIN...
Maman, tu reviens dans combien de temps ?
Mais Lili, j'ai encore du travail et tu m'as déjà appelée deux fois !

Je peux venir un petit peu dans votre lit ?

Et puis non, je retourne dans ma chambre !
Elle est bizarre, tu ne trouves pas ?

Maman !
MAMAN !

ET À L'ÉCOLE...
« Et Cosette pensait à sa mère... Quand reviendrait-elle la chercher... ? »
Qu'est-ce qu'il y a, Lili ? C'est trop triste ?
Non, c'est pas ça !

Lili est collée à moi et elle pleure tout le temps !
On devrait peut-être trouver un autre chien !

Maman, papa, regardez ! C'est Pluche ! C'est lui qui aboie dehors !
WOUAF !

Ah, mon Plupluche adoré ! Tu es là ! Mais où étais-tu passé ?
C'est son secret ! Le coquin !
Tu nous en fait des émotions, sacré Pluche ! Vous lui donnez à manger ? Il doit mourir de faim !

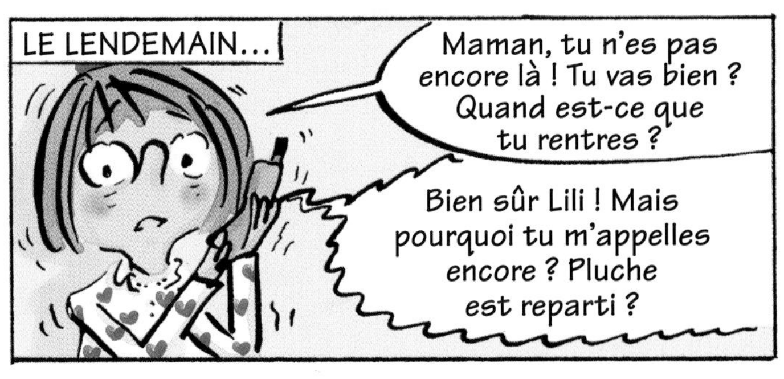
LE LENDEMAIN…
Maman, tu n'es pas encore là ! Tu vas bien ? Quand est-ce que tu rentres ?
Bien sûr Lili ! Mais pourquoi tu m'appelles encore ? Pluche est reparti ?

À L'ÉCOLE...
Je m'en vais, c'est pas à toi de me commander !
Mais qu'est-ce qu'on lui a fait ? Elle est bizarre... !
On dirait qu'elle fait tout pour se faire détester !

QUELQUES JOURS PLUS TARD...
Maman, t'avais dit que tu rentrais à cinq heures. Tu ne tiens pas tes promesses !
OH LÀ LÀ, les grands mots, tout de suite !

T'as fini de me piquer mes affaires, et t'arrêtes de me copier, Max ! J'en ai marre !
Oh, calmos ! Je voulais juste l'essayer !

Mais quel caractère ! Tu pourrais lui prêter !
C'est ça, défends-le ton petit chouchou !

Maman, tu m'aides à me déshabiller ?

Quel bébé ! Pourquoi pas des couches ?
Parle pour toi, minus !

Tu viendras me regarder au concours de gym mercredi ? ou papa ?
Tu sais bien que c'est impossible en plein après-midi.

Je vois bien que je n'intéresse personne !
Arrête Lili ! Là, tu exagères vraiment !

Je n'en peux plus de Lili !
Je ne sais pas ce que je lui ai fait, ou pas fait !
Je ne comprends pas... Pluche est rentré... Tout va bien... !

Ça dure depuis un moment... que faire ? Aller voir un psy ?
Ah non, on va se débrouiller tout seul ! Moi, je préfère les actes à la parlotte ! D'ailleurs, tu vas voir !
LILI !

Rien à faire ! Je ne sais pas...
VLAN !
Sa maîtresse trouve aussi que ça ne va pas... Si on demandait conseil à Georges, il est médecin après tout !

Georges, depuis la fugue de Pluche, Lili est collée à moi. Elle est inquiète, agressive, triste, enfin, ça ne va pas...
Vous en avez parlé ensemble ?
Elle refuse !

Le chien, oui... mais il peut y avoir autre chose qu'on ne voit pas. Je connais une bonne psychologue. Elle a un bon contact avec les enfants.

Une psy… t'es sûr ?
Elle n'est pas folle Lili !
Bien sûr que non ! Tu sais la folie, c'est quand on ne contrôle plus du tout ses actes ni ses pensées, ce qui est très angoissant…

Mais Lili, ce n'est pas ça du tout. C'est peut-être un petit problème affectif. Parfois, on ne se sent pas aimé… On ne sait pas l'exprimer…
… et on stresse ! Le cerveau est une machine géniale mais hyper-sensible !

Mais ce n'est pas du cinéma qu'on se fait ? On ne peut pas faire un effort ?
Non, si on est vraiment déprimé par exemple, on ne peut pas se secouer ! Et les souffrances de l'esprit, ça fait très mal...

Il y a des médicaments pour ça ?
Oui, mais surtout la psychothérapie qui soigne avec la parole ! Tenez, un petit mot pour elle.
Merci mon vieux !

Aller voir une psy avec Lili !?
Il est drôle, lui !... J'ai pas envie de me déculotter devant tout le monde !
Pas drôle d'accepter qu'on n'est pas des parents parfaits !
Dur aussi pour Lili !

Lili... on se disait que, pour aller mieux... ça t'aiderait peut-être d'aller voir... euh... une dame...
C'est ça, une psy, comme tout le monde !
Mais je n'ai rien, moi !
C'est vous qui inventez !

Mais c'est quelqu'un que connaît bien Georges. On peut vraiment lui faire confiance.
Tu crois que c'est amusant de raconter sa vie à quelqu'un qu'on ne connaît pas !

CHEZ LA PSY…
Lili, je suis là pour t'écouter et t'aider à comprendre ce qui ne va pas... C'est mon métier !
Mais moi je suis juste venue pour faire plaisir à Georges !

Oui, pas facile de deviner quelles tristesses se cachent derrière la peur, l'agressivité ou la mauvaise note... Mais on peut les faire sortir de leur cachette avec des mots !

Et si j'ai rien à dire...
Tu feras des dessins ou des jeux ?

Mais j'aimerais vous voir vous aussi !
C'est que je ne suis pas très disponible !

On trouvera un rendez-vous
à huit heures du matin si vous voulez.
J'ai absolument besoin de votre point
de vue...
Bon...

En tout cas, Lili, tout ce que
tu me diras ici restera secret
entre toi et moi. Tes parents
le comprendront.

Moi, je voudrais
que vous veniez
chaque fois...
Elle a dit...
de temps
en temps !
Et que
c'était à toi
de mener
ta barque !

Alors, t'as fait psy-psy !
Très drôle, mais je te préviens ! Pas un mot, à personne, ni à mes copines ! Sinon je te zigouille !
Oui, c'est son truc à elle, sa vie privée ! D'accord Max ?

LES JOURS PASSENT, LES SEMAINES PASSENT…
J'en ai marre de ces rendez-vous, en plein dessins animés... Max, lui...
Allez, qui ne tente rien n'a rien ! On prendra un chocolat après.
chaud ?

Allez, Max, laisse-nous et boucle-la !
Mais je n'ai rien dit...
?

Lili, tu ne viens plus jamais chez moi ? Viens, on va répéter le sketch avec Marlène !
Non... il faut que je trouve... euh... où Pluche s'était sauvé...

Bizarre, bizarre... Elle répond toujours ça. Il est revenu, son chien !
Si on la suivait en douce ?

Mais cache-toi, elle va te voir !
Ah, regarde, elle entre là !

Tiens, il y a la plaque d'un... psychologue...
Bon... on l'attend à la sortie !

Alors, Lili, on nous fait des cachotteries ?
Euh... C'est que... Qu'est-ce que vous faites là ? Si jamais vous me trahissez !

Sûrement pas ! Mais pourquoi tu nous l'as pas dit ? On n'est pas tes amies ?

Pas envie qu'on me traite de débile, moi !

Ben, t'es pas débile... ! De toute façon, il faut pas être bête pour aller chez le psy !
Tu dis ça pour me faire plaisir ?

Non, parce que, moi aussi, j'y vais depuis que mon père est parti ! J'ai même changé de psy et je me sens mieux avec le nouveau.
Et toi aussi tu le cachais, merci ! Moi, mon oncle, il y va aussi.

C'est perso, d'accord...
mais c'est bien ?
Oui, je peux tout lui dire. Elle ne me juge pas. Des fois, je pleure, mais en sortant, je suis contente !

Qu'est-ce que tu lui dis ?
Ah, ça, c'est mon secret !

Au fond, vous avez de la chance d'avoir quelqu'un comme ça... !

Maman, tu peux me faire une autre tartine et après un autre bisou ?
Ben, Lili, ça ne t'améliore pas d'aller chez la psy !
Occupe-toi de tes oignons ! Et t'es jaloux ou quoi ?
Tu sais, Max, il faut du courage pour ce « travail » que Lili fait depuis des semaines !
À ce soir, Lili ! Cette fois-ci, on se retrouve chez la psy avec papa.

Bouh... c'était horrible... maman était partie en voyage avec papa, je me suis retrouvée seule, toute seule... et bouh... avant de partir, elle m'avait dit :
« TU ME TUES, LILI ! »
Oh, pardonne-moi, c'était une façon de parler, j'étais énervée...

Et tu as eu peur qu'un accident arrive à ta mère et que ce soit de ta faute...
Et Mapi qui vous gardait et a eu la grippe juste à ce moment-là !

Bouh... et je leur en voulais
de m'avoir laissée... oui, bouh...
et il n'y avait que...
Pluche !
Ça me rappelle...
on t'avait laissée, bébé,
tu avais boudé après...

Alors, c'est pour ça
que tu étais si mal,
ma petite Lili... Pourquoi
tu ne l'as pas dit ?
J'y pensais plus...
Plein de choses se sont mélangées
dans ta tête et t'ont fait souffrir...
Mais elles t'ont aussi fait grandir !

Formidable, cette psy !
Pourtant il a fallu t'y traîner !

MOI ?
Eh là, arrêtez de vous disputer ! Occupez-vous encore de moi ! La psy l'a dit !

Lili, si tu veux, chaque samedi, on ira se prendre un jus de pomme-carotte au Bar-Bio, toi et moi !
Et moi, je vais essayer de rentrer plus tôt !
SUPER !!!

Et moi, je n'ai plus besoin d'aller chez la psy mais elle m'a dit que je pourrais revenir si je voulais...

Je suis content d'avoir compris ce qui se passait dans ta tête ! J'étais inquiet !
Moi aussi, ça m'a fait du bien de parler... et même de mes relations avec maman quand j'étais petite !
Ben, vous pouvez y aller sans moi !

Maman, Clara
m'invite pour
le week-end, je peux ?
Alors, je ne te manque
plus du tout ! Il suffit que
tu saches que je suis
à la maison ! Normal !

C'est quoi,
ce papier ?

« Lili, tu es très
importante pour moi,
n'oublie pas que
je t'aime,
ta maman ! »

Et mon walkman, je te le prête quand tu veux !
T'es trop sympa avec moi, maintenant !
Oui, je suis moins jalouse, j'ai moins peur, peut-être que je m'aime plus qu'avant...
C'est plus facile de partager quand on est rassuré...
Et moi, ça m'arrange !
Et moi ?

Mais tu ne trouves pas
que Pluche a l'air bizarre !
Tu crois que ça existe
les psychologues
pour chien ?

Elle devient obsédée,
celle-là !

Et toi...

Est-ce qu'il t'est arrivé la même histoire qu'à Lili ?

Sais-tu pourquoi tu y vas ? As-tu des parents qui ont des soucis ? Comment l'as-tu décidé ? Es-tu content d'y aller ?

Es-tu fâché ou gêné d'y aller ? Ça t'enlève du temps pour jouer ? As-tu peur qu'on te traite de fou ? de bête ?

Ça te fait du bien, ça te donne confiance en toi ? Aimes-tu qu'on s'intéresse à toi ? Le psy est-il important dans ta vie ?

Si tu ne te sens pas bien avec ton psy, peux-tu en voir un autre ? As-tu parfois envie d'arrêter ?

Tes parents trouvent-ils que ça aide toute la famille ? Ou ça les énerve ? Et tes frères et sœurs ? Sont-ils jaloux ?

Trouves-tu qu'on t'écoute trop ?
Qu'on te demande de décider trop de choses ?

Te sens-tu bien dans ta peau, dans ta tête ? As-tu confiance en toi, es-tu content de ta vie et tes parents aussi ?

Trouves-tu que tu peux te faire aider par tes grands-parents, ta maîtresse, tes amis, quelqu'un en qui tu as confiance ?

Pour quels problèmes penses-tu qu'on y va ? Connais-tu quelqu'un qui y est allé ? As-tu eu envie de te moquer de lui ?

Es-tu gêné de parler de choses qui te rendent triste, ou qui t'ennuient ? Préfères-tu les oublier ?

Serais-tu intimidé de parler à un psy ? Sais-tu qu'il n'a pas le droit de répéter à d'autres ce que tu lui as dit ?

Te sens-tu mal parfois dans ta tête ? Te bats-tu contre la colère, la peur... ? Arriverais-tu à demander de l'aide ?

Petit dico-psy de Max et Lili

L'affectif : Tout ce qui concerne le sentiment d'être aimé... de ne pas être aimé... d'aimer... de ne pas aimer...
Le cerveau : Masse de cellules nerveuses qui te permettent de bouger, voir, penser, parler, te souvenir, avoir des émotions.
La dépression : Tristesse profonde qui peut se cacher, chez les enfants, derrière un comportement solitaire, agité, dévalorisé, agressif ou inquiet, et parfois des signes du corps : allergie, pipi au lit, etc...
L'inconscient : Tout ce que tu as vécu quand tu étais tout petit et dont tu ne te souviens pas. La psychothérapie le fait parfois remonter à la conscience.
Le mental : du latin « mens » qui veut dire « esprit » : tout ce qui concerne le fonctionnement du cerveau.
La psychanalyse : Science, inventée par Freud, pour comprendre le sens des actes et des paroles, pour sortir ce qui est enfoui dans l'inconscient et qui peut faire mal sans qu'on le sache.
Le (ou la) psychiatre : Médecin qui soigne ceux qui ont des troubles psychiques. Il peut donner des médicaments.
Le psychique : Vient du mot grec « psyché » qui veut dire « âme ou esprit ».
Les troubles psychiques : Problèmes de comportement, de relation avec les autres, de contrôle de la pensée, d'affectivité mais non d'intelligence.
Le (ou la) psychologue : Personne qui a fait des études de psychologie, la science qui permet de comprendre le fonctionnement mental, les comportements face aux difficultés de la vie humaine. Peut faire passer des tests !
La psychothérapie ou la thérapie : Méthode pour soigner les souffrances de l'esprit en se servant des mots, des dessins, du jeu, des rêves.